Exerce tes neurones

Quiz QI

éditions
BRAVO!

© 2007 Philip J. Carter pour l'édition originale
© 2009 Les Publications Modus Vivendi inc. pour l'édition française

L'édition originale de cet ouvrage est parue chez Sterling Publishing Co., Inc.
sous le titre *Maximize your IQ*.

Publié par les Éditions Bravo!, une division de
LES PUBLICATIONS MODUS VIVENDI INC.
55, rue Jean-Talon Ouest, 2ᵉ étage
Montréal (Québec) H2R 2W8
Canada

www.editionsbravo.com

Directeur éditorial : Marc Alain
Conception de la couverture : Marc Alain
Traduction et adaptation : Germaine Adolphe
Révision : Andrée Laprise

ISBN 978-2-92372-025-8

Dépôt légal : Bibliothèque et Archives nationales du Québec, 2009
Dépôt légal : Bibliothèque et Archives Canada, 2009

Imprimé au Canada

TABLE DES MATIÈRES

COMMENT UTILISER CE LIVRE

Ce livre contient cinq tests distincts, chacun composé de quarante questions. Le niveau de difficulté des tests est à peu près le même. Vous trouverez une valeur approximative de Q.I. pour chaque test, ainsi qu'une valeur cumulative pour les cinq tests.

Un temps limite de quatre-vingt-dix minutes est alloué pour chaque test. Les bonnes réponses se trouvent à la fin de chaque test – comptez un point par bonne réponse. Dans certains cas, une explication vous permettra de revoir la question d'un nouvel œil si vous avez donné une mauvaise réponse.

Utilisez les tableaux suivants pour évaluer votre Q.I. :

Un test :

SCORE	RÉSULTAT	Q.I. APPROX.
36-40	Exceptionnel	140+
31-35	Excellent	131-140
25-30	Très bien	121-130
19-24	Bien	111-120
14-18	Moyen	90-110

Cinq tests :

SCORE	RÉSULTAT	Q.I. APPROX.
176-200	Exceptionnel	140+
156-175	Excellent	131-140
126-155	Très bien	121-130
96-125	Bien	111-120
70-95	Moyen	90-110

TEST UN

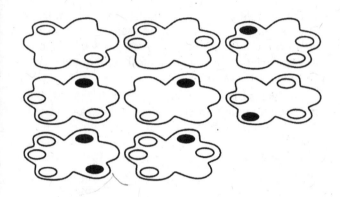

1. Quel est le morceau manquant dans le coin inférieur droit?

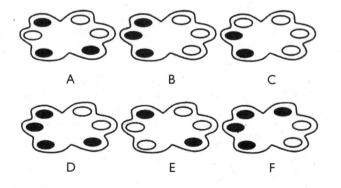

2. Qui est l'intrus?

anorak, mante, caban, caraco, burnous

3. Une fois placé entre parenthèses, quel terme complète le premier mot et commence le second?

HAUT (?) SEAU

4. Quel est le nombre manquant?
961 (43)
1852 (59)
463 (?)

5. Trouvez les deux mots dont le sens s'oppose.

fâché, dubitatif, déçu, crédule,
grégaire, caustique

6. Trouvez l'anagramme en un mot de :

NOTRE SILENCE

7. Insérez les lettres dans les espaces vides pour compléter deux mots ayant le même sens que le mot au-dessus d'eux.

AAAFEELGGRLNNTT

ÉVIDENT   DISTINGUÉ
F _ A _ R _ _ T   _ L _ _ A _ T

8. Trouvez le mot correspondant aux deux défi-nitions hors des parenthèses.

tige à viande (?) bijou

9. POST- est à PLUS TARD ce que MACRO- est à

grand, dernier, tard, langage, petit

8

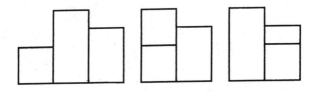

10. Laquelle de ces figures complète la série ci-dessus?

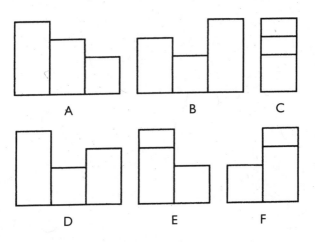

A · B · C · D · E · F

11. Laquelle de ces figures complète la série ci-dessus?

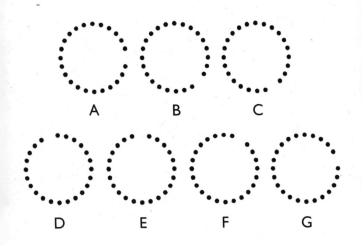

12. Qui est l'intrus?

croisée, oriel, portail, lucarne, hublot

13. Qui est l'intrus?

sérénade, oraison, tyrolienne,
fredon, gazouillis

14. Une fois placé entre parenthèses, quel terme complète le premier mot et commence le second?

CACHE (?) POIX

15. Examinez la liste de mots suivants:

ROSSE, TROP, SODA, REPAS

Maintenant, choisissez parmi les mots suivants celui qui, selon vous, a un point commun avec eux :

ORDRE, MODE, CASSER, PILE, TARD

16. Quel est le nombre manquant dans la troisième pyramide?

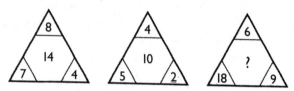

17. Quels sont les quatre morceaux qui, une fois
assemblés, forment un carré parfait?

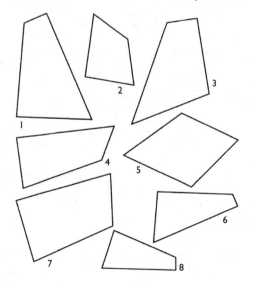

18. Quel mot de deux lettres devrait remplacer le point d'interrogation?

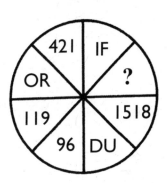

19. Quel mot entre les parenthèses a le même sens que celui en majuscules?

INTERLOPE

(égoïste, frauduleux, étroit, futé, cinglant)

20. Complétez les mots, qui sont des synonymes, dans le sens horaire ou antihoraire.

21.

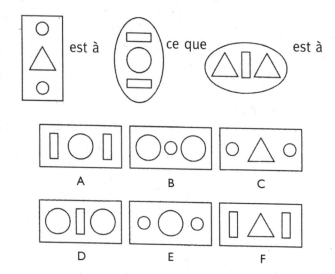

A

B

C

D

E

F

22. Trouvez le terme qui complète le premier mot et commence le second.

trou (?) rouge

23. Qu'est-ce qu'une ravine ?

un domestique
un petit ravin
un rocher
une cascade
une barricade

24. Quel mot peut se placer devant les autres pour former quatre nouveaux mots ?

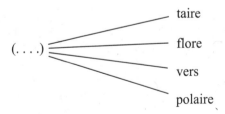

(. . . .)

taire
flore
vers
polaire

25. Trouvez l'anagramme en un mot de :

UNE TRANCHE

26. Combien y a-t-il de carrés dans cette figure ?

52
53
54
55
56

27. Réunissez trois blocs de deux lettres pour trouver un type de soupape.

ET   CL   OB   VA   AP   TU

28. Qu'est-ce qui fait toujours partie de :

JABOT

carton, dentelle, cuir, fer, filet, porcelaine

29. Trouvez le mot ayant le même sens que :

DORLOTER

sumac, envelopper, emmitoufler,
couvert, cuire

30. Trouvez le mot correspondant aux deux définitions hors des parenthèses.

artiste de renommée (?) petite embarcation à moteur

31. Comment appelle-t-on un groupe d'étoiles?

pénombre
solstice
parsec
galaxie
magnitude

32. Quels sont les deux mots dont le sens s'oppose?

éculé, servitude, générosité, liberté,
interface, terreur

33. Quels sont les deux mots dont le sens se rapproche le plus?

circulaire, théâtre, cirque, funiculaire,
chemin de fer, arcade

34. Laquelle de ces combinaisons ne peut former un mot de six lettres?

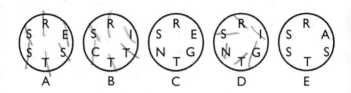

A   B   C   D   E

35. Lequel de ces mots ne désigne pas un instrument de musique?

LUFET
ERAHP
ABUT
CEPNI
TOCREN

36. Lequel de ces mots ne désigne pas un os?

rotule, carpe, tartre, omoplate, humérus

37. Qui est l'intrus?

shantung, organdi, litham, futaine, chamois

38. Quelle est la valeur de cet angle?

55°
60°
65°
70°
75°
39°

39.

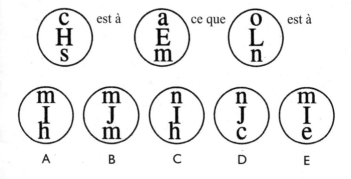

40. Quelle figure va logiquement dans le cercle vide pour compléter la série?

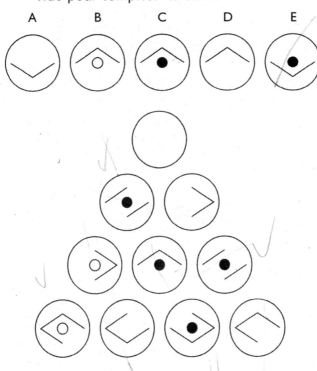

RÉPONSES - TEST UN

1. D. Dans chacune des rangées et des colonnes, les contenus des troisièmes nuages sont déterminés par ceux des deux premiers. Quand une seule ellipse apparaît dans une certaine position, elle est reportée dans le troisième nuage; quand deux ellipses apparaissent dans la même position, elles sont reportées, mais deux ellipses blanches deviennent noires et vice versa.

2. caraco : un sous-vêtement; les autres sont des vêtements d'extérieur.

3. bois : pour former hautbois et boisseau.

4. 62. Inversez chaque nombre et prenez la racine carrée des composantes :

961-169   16 = 4,   9 = 3 = 43 donc,
463-364   36 = 6,   4 = 2 = 62

5. dubitatif, crédule

6. sélectionner

7. flagrant, élégant

8. broche

9. petit

10. A. Au début, les trois parties sont dans la position illustrée. À chaque étape suivante, la figure (i) se décale d'une place vers la droite.

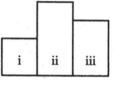

11. B. L'espace avance dans le sens horaire, d'abord d'un seul point, puis de deux, puis de trois, etc.

12. portail : un type de porte, les autres sont des types de fenêtre.

13. oraison : utilise la voix parlée et les autres, la voix chantée.

14. mire : pour former cachemire et mirepoix.

15. casser : tous les termes lus à l'envers donnent un nouveau mot.

16. $12 : 7 \times 8 \div 4 = 14$
$5 \times 4 \div 2 = 10$
$18 \times 6 \div 9 = 12$

17.

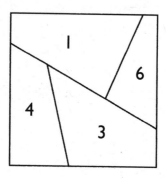

18. AS. Chaque mot de deux lettres est obtenu avec les nombres du segment opposé. Prenez les lettres correspondantes de l'alphabet selon leur ordre numéral : A = 1, B =2, etc. Par exemple : 421 = 4, 21 = DU et 119 = 1, 19 = AS. (La combinaison 11, 9 = KI ne donne pas un mot de deux lettres.)

19. frauduleux

20. talisman, amulette

21. B. La grande ellipse devient un rectangle; le petit rectangle devient un petit cercle; et les triangles deviennent de grands cercles.

22. peau

23. b) un petit ravin

24. uni

25. enchanteur

26. d) 55

(1^2) 1   5 X 5
(2^2) 4   4 X 4
(3^2) 9   3 X 3
(4^2) 16   2 X 2
(5^2) 25   1 X 1

27. clapet

28. dentelle

29. couvert

30. vedette

31. d) galaxie

32. servitude, liberté

33. funiculaire, chemin de fer

34. C. Les autres sont : stress, strict, string et strass.

35. CEPNI = PINCE. Les autres sont : flûte, harpe, tuba, cornet.

36. tartre

37. litham : les autres sont tous des noms de tissus.

38. b) 60°

39. A : c   b   a
    H   G   F   E
    s r q p o n m

    o   n   m
    L   K   J   I
    n m l k j i h

40. C. Chaque cercle est obtenu en combinant les deux cercles inférieurs, mais les symboles semblables disparaissent.

TEST DEUX

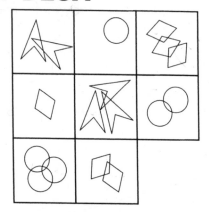

1. Quelle est la figure manquante dans le coin inférieur droit?

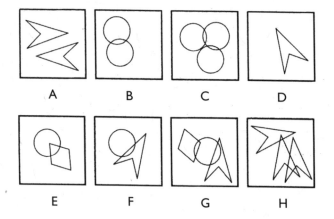

A B C D

E F G H

2. Quel mot entre parenthèses a le même sens que celui en majuscules?

PRINCIPE (majesté, maxime, coût, capital, dirigeant)

3. Trouvez l'anagramme en un mot de :

ABRI ASSURÉ

4. Quel mot entre parenthèses est le contraire de celui en majuscules?

ACRIMONIEUX (doux, pointu, revêche, lisse, qualifié)

5. SORCIER est à ENSORCELEUR ce que SHAMAN est à

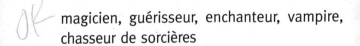

magicien, guérisseur, enchanteur, vampire, chasseur de sorcières

6. Quels sont les quatre morceaux qui, une fois assemblés, forment un carré parfait?

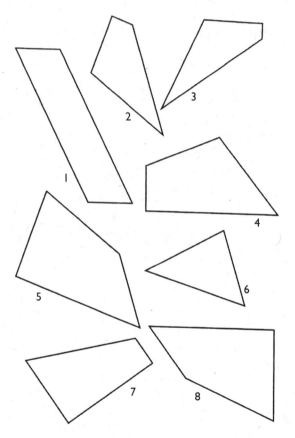

7. Soulignez les deux mots dont le sens se rapproche le plus.

décontracté, largesse, charité, espièglerie, énorme, destinée

8. Laquelle des figures de droite a le plus en commun avec celle de gauche?

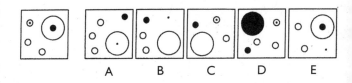

9. Qui est l'intrus?

ivoire, ébène, jais, fuligineux, charbonneux

10. Une fois placé entre parenthèses, quel terme complète le premier mot et commence le second?

CALE (?) SON

11. Quel mot va entre les parenthèses?

    RÉCOLTE (TORIL) TARDIVE
    ÉTHANOL (?) RÉDUIRE

12. Quel mot entre parenthèses a le même sens que celui en majuscules?

    VOLUBILE (optionnel, loquace, ample, épicurien, avide)

13. Soulignez les deux mots dont le sens s'oppose.

    flexible, intrépide, patient, peureux, euphorique, avide

14.

Laquelle de ces figures complète la série ci-dessus?

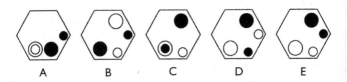

A   B   C   D   E

15. Quel mot entre parenthèses est le contraire de celui en majuscules?

PROFANE (sacré, terrestre, exposé, libéral, principal)

16. Quels deux mots se prononçant de la même façon, mais s'écrivant différemment, signifient :

a) souveraine
b) mammifère ruminant

17. 2025 est à 45 ce que

6724 est à 43, 54, 82, 136 ou 336

18. A B C D E F G H

Quelle lettre est la deuxième lettre à droite de la troisième lettre à gauche de la deuxième lettre à droite de la troisième lettre à gauche de la lettre H?

19. Trouvez les deux mots dont le sens se rapproche le plus.

appliquer, protéger, fusionner, réfuter, revenir, contredire

20. Quel cube obtenez-vous après avoir replié la figure ci-contre?

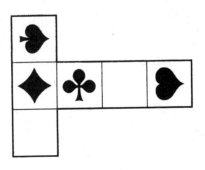

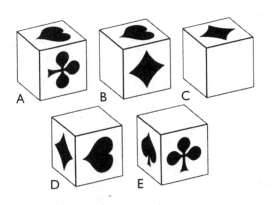

21. Lequel de ces mots ne désigne pas un minéral?

gneiss, graphite, alène, bauxite, antimoine

22. Complétez les mots, qui sont des synonymes, dans le sens horaire ou antihoraire.

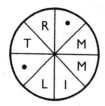 

23. Trouvez le mot correspondant aux deux définitions hors des parenthèses.

mollusque bivalve (?) instrument tranchant

24. Qui est l'intrus?

hyacinthe, chicane, sardoine, escarboucle, marcassite

25. Lequel de ces mots ne désigne pas un compositeur?

LIBZERO
LADIVVI
CINIPUC
SOAPSIC
DOORNIBE

26. Quels sont les deux mots dont le sens se rapproche le plus?

café, perruque, parapluie, bévue, impair, ponton

27. Réunissez trois blocs de deux lettres pour former le nom d'un vêtement.

ST   OU   BL   ON   GA   VE

28. Qu'est-ce qu'un chaland?

un froncement
une grue
un jeu
un os
un bateau

29.

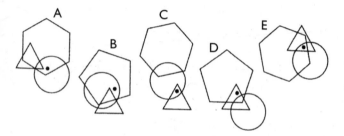

Lequel de ces ensembles de formes ressemble le plus à l'exemple ci-dessous?

30. Quel est l'ingrédient qui fait toujours partie de :

SUCCOTASH

chou, maïs, beurre, pain, miel

31. Trouvez le terme qui complète le premier mot et commence le second.

four (?) nuit

32. Quels sont les deux mots dont le sens s'oppose ?

contrariant, enjoué, fixation, plaisant, divisé, fantasque

33. De combien de façons différentes pouvez-vous former le mot BOSSE avec les lettres de la grille ci-contre, prises dans n'importe quel ordre?

18
20
22
24
26

B	O	O	S
S	B	S	E

34. Trouvez le mot ayant le même sens que :

BURLESQUE

parodie, cirque, scène, magique, mime

35.

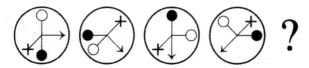 ?

Laquelle de ces figures complète la série ci-dessus?

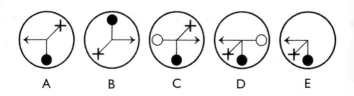

A   B   C   D   E

36. Quel mot peut se placer devant les autres pour former quatre nouveaux mots?

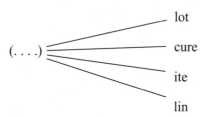

(. . . .)   lot

          cure

          ite

          lin

37. Lequel de ces mot ne désigne pas un bateau?

TOCER
FIKSF
ONACT
HCAYT
NIRAT

38. Trouvez les deux mots dont le sens se rapproche le plus.

case, note, mur, balle, roche, botte

39. Pour former une équipe, 4 gymnastes vont être sélectionnés parmi 4 hommes et 4 femmes. Combien d'équipes différentes peuvent être formées si chacune doit compter au moins 3 hommes?

40. Quelle figure devrait logiquement se placer dans le cercle vide pour continuer la série?

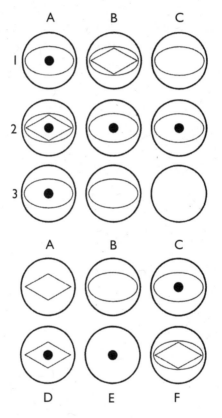

RÉPONSES - TEST DEUX

1. D. Chaque rangée et chaque colonne contient chacun des trois symboles : une case avec un symbole simple, une case avec un symbole doublé et une case avec un symbole triplé. Aucun symbole simple, doublé ou triplé n'apparaît plus d'une fois dans la grille.

2. maxime

3. arbrisseau

4. doux

5. guérisseur

6.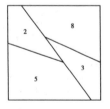

7. largesse, charité

8. A. Elle contient un grand cercle, trois petits cercles blancs, un petit cercle noir et un point.

9. ivoire : qualifie le blanc et les autres, le noir.

10. pin : pour former calepin et pinson.

11.
```
              2 5        1 2 3 4 5    1   3 4
RADIN: R É C O L T E   (T O R I L)   T A R D I V E
       É T H A N O L   (R A D I N)   R É D U I R E
              2 5        1 2 3 4 5    1   3 4
```

12. loquace

13. intrépide, peureux

14. E. Le grand cercle noir va et vient dans les coins opposés de l'hexagone. Le grand cercle blanc se déplace d'un coin à un autre dans le sens horaire. Le petit cercle noir va et vient dans les coins opposés de l'hexagone. Le petit cercle blanc va et vient dans les coins opposés de l'hexagone.

15. sacré

16. reine, renne

17. 82. C'est la racine carrée de 6724; 45 est la racine carrée de 2025.

18. F

19. réfuter, contredire

20. D

21. alène

22. immortel, immuable

23. couteau

24. chicane : les autres sont tous des pierres semi-précieuses.

25. SOAPSIC = PICASSO, un peintre. Les compositeurs sont : Berlioz, Vivaldi, Puccini et Borodine.

26. bévue, impair

27. veston

28. e) un bateau

29. E. Le point apparaît dans le triangle, le cercle et l'hexagone.

30. maïs

31. mi

32. contrariant, plaisant

33. d) $B_2 \times O_2 \times S_6 = 24$

34. parodie

35. E:

● se déplace de 90 degrés dans le sens horaire

○ se déplace de 135 degrés dans le sens antihoraire

✕ se déplace de 180 degrés

→ se déplace de 45 degrés dans le sens horaire

36. mer

37. NIRAT = TRAIN. Les bateaux sont : cotre, skiff, canot et yacht.

38. balle, botte

39. c) 17

(3 hommes) $\dfrac{4 \times 3 \times 2}{1 \times 2 \times 3} = 4$

(4 hommes) $\dfrac{1 \times 2 \times 3 \times 4}{1 \times 2 \times 3 \times 4} = 1$

(1 femme) $\dfrac{1}{4} = 4$

Total : $4 \times 4 + 1 = 17$

40. B :

col. A + col. B = col. C

ligne 1 + ligne 2 = ligne 3

Seuls les symboles semblables sont reportés.

TEST TROIS

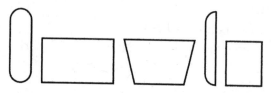

1. Laquelle de ces figures complète la série ci-dessus?

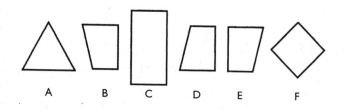

A   B   C   D   E   F

2. Une fois placé entre parenthèses, quel terme complète le premier mot et commence le second?

LAISSEZ (?) EAU

3. Quel mot va entre les parenthèses?

GRISANT (GIBET) ICEBERG
ANORMAL (?) RÉACTIF

4. Quel mot entre parenthèses a le même sens que celui en majuscules?

CROCHU (sec, froissé, impitoyable, rond, aigu, arqué)

5. Lequel de ces mots ne désigne pas de la nourriture?

GOTIG
INAP
ERBURE
ONCOT
NOCBA

6. Plusieurs antonymes du mot clé sont présentés. Prenez une lettre de chacun d'eux pour former un autre antonyme du mot clé. Les lettres apparaissent dans le bon ordre.

Mot clé : RUSTRE

Antonymes : DISTINGUÉ, AFFABLE, POLI, DÉLICAT, RAFFINÉ, COURTOIS

7.

8. Trouvez l'anagramme de :

JEU EN OR

9. Quel mot entre parenthèses est le contraire de celui en majuscules ?

EFFICACE (productif, terne, inutile, ennuyeux, difficile)

10. Quels deux mots se prononçant de la même façon, mais s'écrivant différemment, signifient :

a) enveloppe
b) récipient

11.

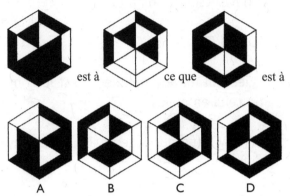

est à   ce que   est à

A   B   C   D

12. Deux mots dans les cercles sont des synonymes. L'un se lit dans le sens soit horaire, soit antihoraire dans le cercle extérieur, et l'autre se lit dans le sens opposé dans le cercle intérieur. Trouvez les lettres manquantes pour former les mots.

13. ABRUTISSANT est à STUPÉFIANT ce que PROSAÏQUE est à douloureux, matérialiste, stéréotypé, niais, paroissial

14. Qui est l'intrus ?

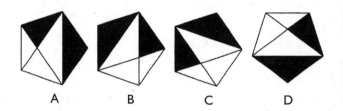

A   B   C   D

15. A B C D E F G H

Quelle lettre est immédiatement à droite de la troisième lettre à gauche de la lettre placée à mi-chemin entre la lettre immédiatement à gauche de la lettre G et la lettre immédiatement à droite de la lettre A ?

16. Trouvez les deux mots dont le sens se rapproche le plus.

pacifier, narguer, plaisanter, assaillir, mélanger, refroidir

17. Qui est l'intrus?

traîner, sprinter, déambuler, promener, vagabonder

18. Une fois placé entre parenthèses, quel terme complète le premier mot et commence le second?

RICHE (?) TENANT

19. Lequel de ces mots ne désigne pas un fruit?

TMUASAS
GLOATEN
IGABONE
ATOCVA
OTIPRON

20. Réunissez trois blocs de deux lettres pour former le nom d'un jeu de carte.

ID   CH   BR   SO   GE   EU

21. Quel mot peut se placer devant les autres pour former quatre nouveaux mots?

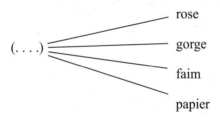

(. . . .)
- rose
- gorge
- faim
- papier

22.

Laquelle de ces figures complète la série ci-dessus?

A   B   C   D

23. Trouvez le mot correspondant aux deux définitions hors des parenthèses.

rouge violacé (?) vin

24. Qu'est-ce qu'une taupe?

un ara
un grand livre
un poisson
une perle
une grange

25. Qui est l'intrus?

dromon, sampan, boghei, baleinier, caravelle

26. Quel chiffre devrait logiquement remplacer le (?)?

6
7
8
9
0

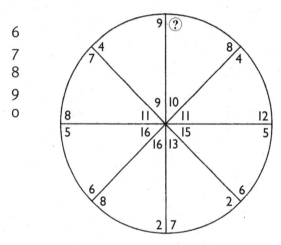

27. Quels sont les deux mots dont le sens se rapproche le plus?

chaudron, restaurant, brasserie, lingerie, barbecue, héliotrope

28. Quel est l'ingrédient qui fait toujours partie de :

NAVARIN

poulet, crevettes, mouton, bœuf, lapin

29. Trouvez l'anagramme en un mot de :

ÉDIT CRUEL

30. Combien de chemins différents y a-t-il entre A et B?

8
9
10
11
12

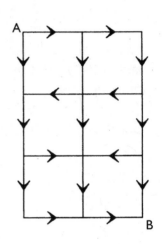

31. Complétez les mots, qui sont des synonymes, dans le sens horaire ou antihoraire.

32. Examinez la liste de mots suivants :

HASARDEUX, ALUN, ASEPTIQUE

Maintenant, choisissez parmi les mots suivants celui qui, selon vous, a un point commun avec eux :

RISQUÉ, SAIN, BRONZE, PUR, CHROME

33. Trouvez le mot ayant le même sens que :

BALANCER

hésiter, disparaître, déposer, améliorer, tomber

34. Quels sont les deux mots dont le sens s'oppose ?

futile, renégat, coercitif, partisan, spécieux, célèbre

35. Lequel de ces mots ne désigne pas un vent?

nimbus, mistral, zéphyr, sirocco, ouragan

36.

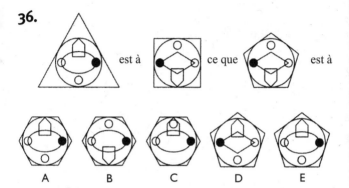

37. Lequel de ces mots ne désigne pas une couleur?

OLVITE
ENUJA
VUMAE
CLECY
NICRAM

38. Quel terme complète le premier mot et commence le second?

TRI (?) MUSE

39. Qui est l'intrus?

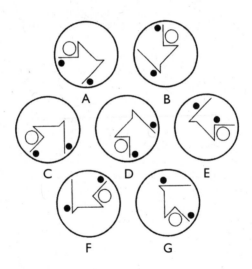

40. Quelle est la figure manquante?

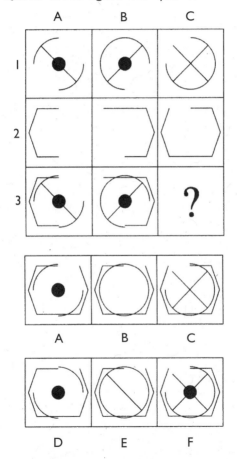

RÉPONSES - TEST TROIS

1. b. Les trois premières figures sont répétées, mais coupées en deux, et seule la moitié gauche est montrée.

2. passer : pour donner laissez-passer et passe-reau.

```
            2    1   42351    53   4
```
3. FOCAL : GRISANT (GIBET) ICEBERG
                ANORMAL(FOCAL) RÉACTIF
```
            2       1 42351   5 3    4
```

4. arqué

5. ONCOT = COTON. Les autres sont : gigot, pain, beurre et bacon.

6. GALANT

7. C. La figure est répétée, mais les lignes courbes deviennent droites et les lignes droites deviennent courbes.

8. journée

9. inutile

10. peau, pot

11. B. L'une est l'image miroir de l'autre, sauf que le noir et le blanc sont inversés.

12. ornement, agrément

13. matérialiste

14. B. Les autres sont la même figure après rotation.

15. B

16. narguer, plaisanter

17. sprinter: le verbe sprinter se rapporte à la course et les autres, à la marche.

18. lieu : pour former richelieu et lieutenant.

19. IGABONE = BÉGONIA. Les fruits sont : satsuma, tangelo, avocat et potiron.

20. bridge

21. coupe

22. A. Des grands triangles sont ajoutés tour à tour à droite et à gauche, d'abord pointés vers le haut (un de chaque côté), ensuite vers le bas. Toutes les parties couvertes par plus d'un triangle sont noircies.

23. bordeaux

24. c) un poisson

25. boghei : une voiture hippomobile; les autres sont des bateaux.

26. c) 8. Dans chaque segment, la somme des deux nombres extérieurs est égale au nombre central de la pointe opposée.

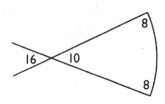

27. restaurant, brasserie

28. mouton

29. crédulité

30. c) 10

31. malséant, incongru

32. bronze : il contient un chiffre (onze), comme hasar(deux), al(un) et a(sept)ique.

33. hésiter

34. renégat, partisan

35. nimbus : un type de nuage.

36. A. À l'intérieur du grand cercle, les symboles du haut et du bas sont permutés ainsi que les symboles de gauche et de droite. L'ellipse et le losange au centre sont également permutés. Le grand cercle reste le même, alors que la forme extérieure obtient un côté de plus.

37. CLECY = CYCLE. Les couleurs sont : violet, jaune, mauve et carmin.

38. tri

39. E. A est identique à C + D.
B. est identique à F + G.

40. C: col. A + col. B = col. C
    ligne 1 + ligne 2 = ligne 3

Les lignes et symboles semblables disparaissent.

TEST QUATRE

1. Qui est l'intrus ?

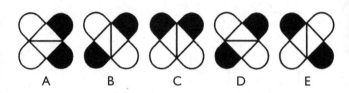

A   B   C   D   E

2. Plusieurs synonymes du mot clé sont présentés. Prenez une lettre de chacun d'eux pour former un autre synonyme du mot clé. Les lettres apparaissent dans le bon ordre.

   Mot clé :   MOTIVER

   Synonymes :   ENCOURAGER, INSPIRER, INCITER, STIMULER, JUSTIFIER, POUSSER

3. ÉTOILE est à STELLAIRE ce que

CŒUR est à ovoïdal, cordé, aciculaire, cruciforme, anguleux

4. Une fois placé entre les parenthèses, quel terme complète le premier mot et commence le second?

SUR (....) TIGE

5. Insérez les lettres dans les espaces vides pour compléter deux mots ayant le même sens que le mot au-dessus d'eux.

ACEEGILNNOPRV
ROUGE   OPÉRATION
- - - M - L - - -   - - M - A - - -

6. MULTIPLIER est à PRODUIT ce que

DIVISER est à nombre, dénominateur, factoriel, quotient, numérateur

7. Trouvez le mot correspondant aux deux définitions hors des parenthèses.

instrument de musique
(....)
petite tumeur dure

8.

Quel est l'écusson manquant dans
le coin inférieur droit?

A   B   C   D   E

9. Quel chiffre devrait remplacer le point d'interrogation ?

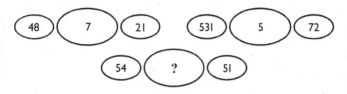

10. Placez les lettres de cette phrase dans le bon ordre pour trouver trois couleurs.

NE PAS JOUER UNE GRILLE

11. Trouvez l'anagramme en un mot de :

ON SE DÉLECTA

12. CONTREFORT est à CRÊTE ce que

ESCARPEMENT est à chaîne, pente, sommet, rocher, passe

13. Quel mot de quatre lettres peut s'ajouter à ces lettres pour former six nouveaux mots?

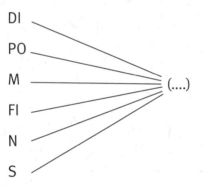

DI
PO
M
FI
N
S

(....)

14. Trouvez les deux mots dont le sens se rapproche le plus.

halte, abolir, changer, supprimer, rejeter, détester

15. Deux mots dans les cercles sont des antonymes. L'un se lit dans le sens soit horaire, soit antihoraire dans le cercle extérieur, et l'autre se lit dans le sens opposé dans le cercle intérieur. Trouvez les lettres manquantes pour former les mots.

16. Quel chiffre écrit en toutes lettres complète cette série?

UN, TROIS, HUIT, DOUZE, DIX-SEPT, ?

17. Quel nom de créature s'insère entre les parenthèses ?

couleur jaune clair (....) mammifère ruminant

18.

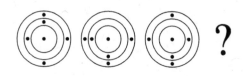

Quelle figure complète la série ci-dessus ?

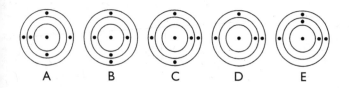

19. Quels sont les quatre morceaux qui, une fois assemblés, forment un carré parfait?

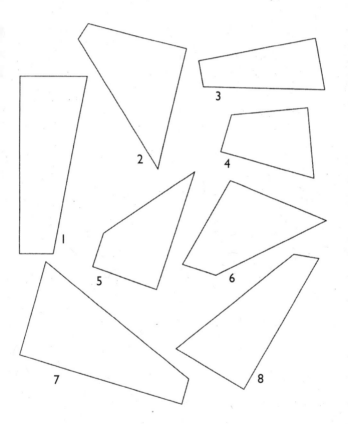

20. Quels sont les deux mots dont le sens se rapproche le plus?

fontaine, lit, aquarium, coterie, colombes, clique

21. Trouvez le terme qui complète le premier mot et commence le second.

grec (...) nouille

22. Trouvez le mot ayant le même sens que :

RUBICOND

fluide, bague, doré, rougeaud, pétillant

23. Réunissez quatre blocs de deux lettres pour former un synonyme d'étouffer.

ER   NU   EI   TÉ   DR   AT

24.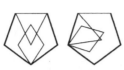

Quelle figure complète la série ci-dessus?

A   B   C   D   E

25. Trouvez la pièce qui fait toujours partie de :

FIANCHETTO

pion, reine, cavalier, tour, roi

26. Complétez cette série.

6, −9, 13½ , −20¼, ?

27. Lequel de ces mots n'est pas un terme du bâtiment?

meneau, voûte, atrium, belvédère, batik

28. Qui est l'intrus?

phaéton, landau, sulky, pousse-pousse, trimaran

29. Trouvez le mot correspondant aux deux définitions hors des parenthèses.

succès retentissant (....) bruit sourd

30.

Quelle lettre devrait logiquement compléter la série ci-dessus?

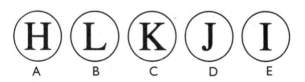

31. Les lettres du mot CONFIDENT occupent les cercles ci-contre. À partir de la flèche, en allant d'un cercle adjacent à un autre, de bas en haut et de gauche à droite, combien de fois pouvez-vous épeler CONFIDENT?

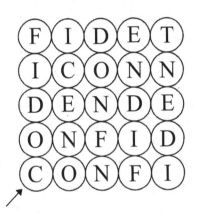

a) 7
b) 8
c) 9
d) 10
e) 11

32. Chaque ligne et symbole apparaissant dans les quatre cercles extérieurs ci-contre est transféré(e) dans le cercle central selon les règles suivantes :

Une ligne ou un symbole qui apparaît :
1 fois :   est transféré(e)
2 fois :   est possiblement transféré(e)
3 fois :   est transféré(e)
4 fois :   n'est pas transféré(e).

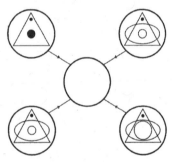

Lequel de ces cercles devrait apparaître au centre du diagramme ci-dessus ?

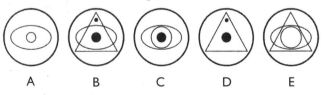

A   B   C   D   E

33. Qu'est-ce qu'une marquise ?

    a) un signet
    b) une monnaie
    c) une ombrelle
    d) un auvent
    e) un miroir

34. Plusieurs synonymes du mot clé sont présentés. Prenez une lettre de chacun d'eux pour former un autre synonyme du mot clé. Les lettres apparaissent dans le bon ordre.

Mot clé :   INFINI

Synonymes :   INCESSANT, SANS BORNE, CONSTANT, ÉTERNEL, ILLIMITÉ, SANS FIN, PERPÉTUEL, IMMENSE, INTERMINABLE

35.

Un score de 245 est obtenu sur deux cibles.
Lesquelles ?

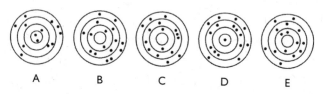

A   B   C   D   E

36. Quels sont les deux mots dont le sens s'oppose ?

salubre, éclairer, mélodramatique, obombrer, articuler, bref

37. Quel mot peut se placer devant les autres pour former quatre nouveaux mots?

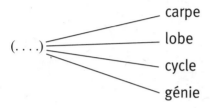

(. . . .) carpe
lobe
cycle
génie

38. Trouvez l'anagramme en un mot de :

SONNE BIEN

39. Réunissez deux blocs de trois lettres pour former un mot désignant une puissance de feu.

ALE   SAL   FUS   TIR   RAF   VOL

40.

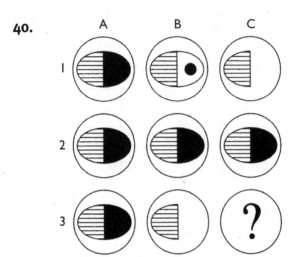

Quelle figure devrait logiquement se placer dans le cercle vide pour continuer la série ci-dessus?

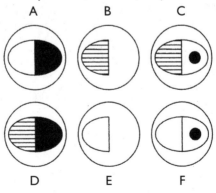

RÉPONSES - TEST QUATRE

1. B. A est la même figure que C après rotation. D est la même que E après rotation.

2. animer

3. cordé : stellaire signifie en forme d'étoile et cordé, en forme de cœur.

4. VOL : pour former survol et voltige.

5. vermillon, campagne

6. quotient

7. cor

8. C. Verticalement et horizontalement, le contenu du troisième écusson est déterminé par ceux des deux premiers. Lorsqu'un symbole n'apparaît qu'une fois, il est simplement reporté. S'il apparaît deux fois, il est reporté mais subit une rotation de 180 degrés. (Il faut noter que lorsqu'un losange tourne de 180 degrés, sa forme ne change pas.)

9. 3. Inversez les chiffres des petites ellipses :

$84 \div 12 = 7$, $135 \div 27 = 5$,

$45 \div 15 = 3$

10. jaune, prune, groseille

11. adolescente

12. pente

13. ACRE : pour former diacre, polacre, macre, fiacre, nacre, sacre.

14. abolir, supprimer

15. escalade, descente

16. VINGT-QUATRE. Chaque fois, ajoutez le nombre de lettres du nombre écrit précédent.

    DIX-SEPT a 7 lettres,
    donc 17 + 7 = VINGT-QUATRE.

17. chamois

18. E. Les points du cercle extérieur tournent successivement de 90 degrés dans le sens horaire; les points du cercle intermédiaire tournent successivement de 90 degrés dans le sens antihoraire; et le point du cercle intérieur reste toujours au centre.

19.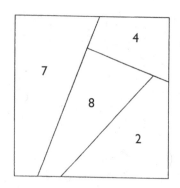

20. coterie, clique

21. que

22. rougeaud

23. atténuer

24. A. Le losange se déplace successivement dans chaque coin du pentagone dans le sens horaire. Le triangle se déplace successivement sur chaque côté du pentagone dans le sens antihoraire.

25. pion

26. 30
(multipliez par −1 chaque fois)

27. batik : motifs imprimés sur du tissu.

28. trimaran : les autres sont tous des véhi-
cules terrestres.

29. boum

30. E. LETTRE I
W V **U** T S **R** Q P O **N** M L K J **I**

31. c) 9

32. C

33. d) un auvent

34. continuel

35. A et E

36. éclairer, obombrer

37. épi

38. bosnienne

39. rafale

40. B :
col. A + col. B = col. C
ligne 1 + ligne 2 = ligne 3
Seules les parties semblables sont
reportées.

TEST CINQ

1.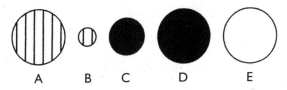

Quelle figure complète la série ci-dessus ?

A   B   C   D   E

2. Examinez la liste de mots suivants :

AFIN, DENT, CINQ, FILM, HORS

Maintenant, choisissez parmi les mots suivants celui qui, selon vous, a un point commun avec eux :

VASE, FLOT, PART, JOUE, DAME, ABRI

3. Plusieurs antonymes du mot clé sont présentés. Prenez une lettre de chacun d'eux pour former un autre antonyme du mot clé. Les lettres apparaissent dans le bon ordre.

Mot clé : FRANC

Antonymes : TROMPEUR, FOURBE, SOURNOIS, HYPOCRITE, PERFIDE, FAUX, TRAÎTRE

4. Qui est l'intrus?

cornée, pupille, lobe, iris, cristallin

5. Quel nombre complète cette série?

123, 117, 108, 99, ?

6. Trouvez l'anagramme en un mot de :

GANT RIEUR

7.

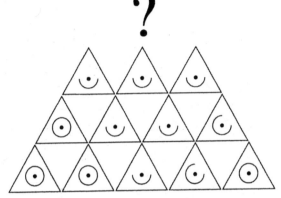

Quel ensemble de triangles complète la pyramide ?

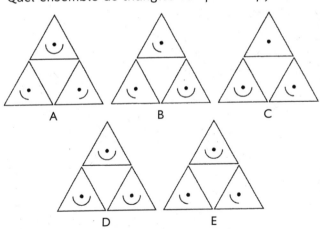

8. Lequel de ces mots ne désigne pas une couleur?

AGNETAM
SMORAIE
CANTRAIN
SIMOCRAI
CÉREALAT

9. IDÉAL est à PRINCIPE ce que

IDIOME est à imbécile, déité, torpeur, langage, jeton

10. Lequel des cinq carrés de droite a le plus en commun avec le carré de gauche?

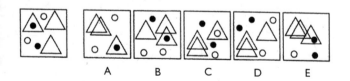

98

11. A B C D E F G H

Quelle lettre est immédiatement à droite de la deuxième lettre à droite de celle immédiatement à gauche de la troisième lettre à droite de la lettre C ?

12. Quelle créature va entre les parenthèses ?

LIE (POU) MON
BAL (...) MOULU

13. Quel mot entre parenthèses est le contraire de celui en majuscules ?

OPULENT (maussade, indigent, gentil, étroit, uniforme)

14. Quel chiffre devrait remplacer le point d'interrogation?

36		23	17		14	58		46
	3			2			?	
47		28	26		11	98		45

15. Qui est l'intrus?

rabbin, shaman, nonce, doyen, insurgé

16. Quel est l'ingrédient qui fait toujours partie du :

CURAÇAO

lait, citron, orange, café, gingembre

17. Quel domino complète cette série?

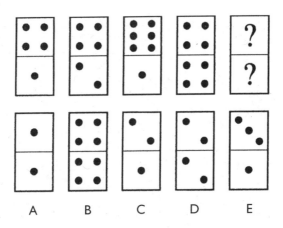

18. Lequel de ces mots ne désigne pas une arme?

tromblon, trique, stylet, matraque, despote

19. Trouvez le mot correspondant aux définitions hors des parenthèses.

coup de poing (?) brun

20. Trouvez l'anagramme en un mot de :

QUI EST MOU

21.

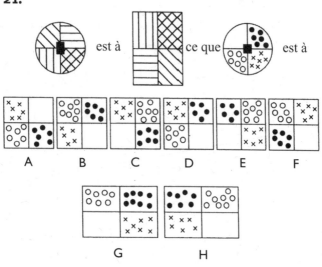

22. Lequel de ces morceaux forme un carré parfait en s'emboîtant dans celui ci-contre ?

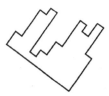

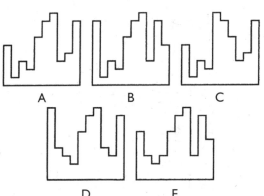

A   B   C

D   E

23. Trouvez le terme qui complète le premier mot et commence le second.

contre (....) pied

24. Trouvez le mot ayant le même sens que :

MÉGÈRE

scarabée, vierge, truie, harpie, bonasse

25. Quels sont les deux mots dont le sens s'oppose ?

colossal, liberté, vassalité, délicat, tendu, hélicoïdal

26.

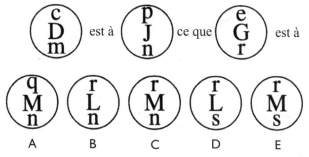

27.

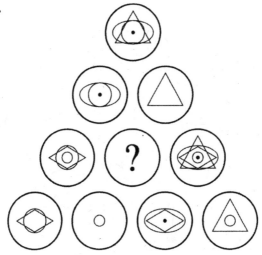

Quelle figure s'insère dans le cercle du centre pour compléter la série ?

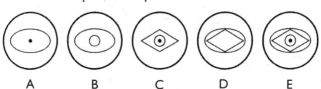

A B C D E

28. Quel mot entre parenthèses a le même sens que celui en majuscules?

ABORIGÈNE (basic, Australien, autochtone, opposé, nomade)

29. Qui est l'intrus?

supra-, cata-, super-, hyper-, sus-

30. Quel mot se place entre parenthèses?

NON (NIER) CÉLERI

DOS (....) DOMINO

31. Réunissez trois blocs de deux lettres pour former le nom d'une robe ample.

NO   RI   MO   SA   GE   KI

32. Quelle forme devrait remplacer le point d'interrogation?

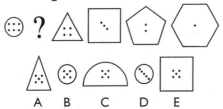

A   B   C   D   E

33. Quelle lettre devrait remplacer le point d'interrogation?

A E   J
D ?   Q
H L   M

34. Quel mot peut se placer devant les autres pour former quatre nouveaux mots?

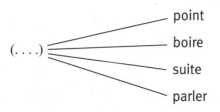

(. . . .) — point
        — boire
        — suite
        — parler

35.

Quelle figure ci-dessous devrait remplacer le point d'interrogation?

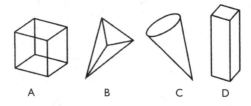

A   B   C   D

36. Si le dé roule d'une face dans la case 2, puis toujours d'une face à la fois dans les cases 3-4-5-6, quel chiffre apparaîtra sur le dessus du dé dans la case 6?

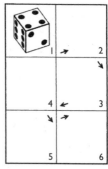

a) 1
b) 2
c) 3
d) 4
e) 5
f) 6

37. Quel nombre complète cette série?

5, 6, 8, 4, 12, 1, 17, ?

38. Comment appelle-t-on un groupe de chiens dressés pour la chasse à courre?

a) un troupeau
b) un cheptel
c) une troupe
d) une meute
e) une harde

39.

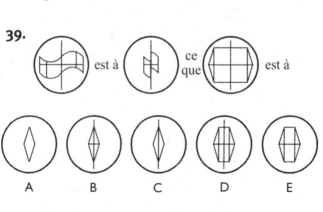

40. Chacune des neuf cases de la grille numérotées de 1A à 3C devrait contenir toutes les lignes et tous les symboles des cases de la rangée du haut et de la colonne de gauche, qui portent sa lettre et son numéro. Par exemple, 2B devrait comprendre les lignes et symboles qui sont en 2 et en B. L'une de ces cases est incorrecte. Laquelle?

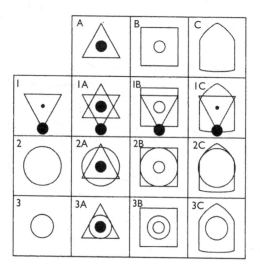

RÉPONSES - TEST CINQ

1. D. Il y a trois tailles de cercles, allant successivement de petit à grand, puis de grand à petit. Les cercles sont tour à tour noir, blanc et hachuré.

2. FLOT : tous les mots ont leurs lettres en ordre alphabétique.

3. menteur

4. lobe : une partie de l'oreille; les autres sont des parties des yeux.

5. 81 :
   $123 - 6 (1 + 2 + 3) = 117$
   $117 - 9 (1 + 1 + 7) = 108$
   $108 - 9 (1 + 0 + 8) = 99$
   $99 - 18 (9 + 9) = 81$

6. garniture

7. D. Le point est toujours reporté; cependant, seules les parties du cercle commun aux deux triangles du dessous sont reportées dans le triangle du dessus.

8. SMORAIE = ARMOISE
   Les couleurs sont : magenta, incarnat, cramoisi et écarlate.

9. langage

10. B. Il contient trois triangles, deux points noirs et deux points blancs, et un des points noirs est dans un triangle.

11. H

12. VER : pour former verbal et vermoulu.

13. indigent

14. 4 :
47 − 23 = 24, 36 − 28 = 8,   24 ÷ 8 = 3
26 − 14 = 12, 17 − 11 = 6,   12 ÷ 6 = 2
98 − 46 = 52, 58 − 45 = 13, 52 ÷ 13 = 4

15. insurgé : les autres sont tous des officiels.

16. orange

17. C. Il y a deux séquences :

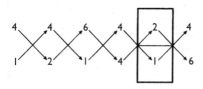

18. despote

19. marron

20. moustique

21. F. Les segments du cercle vont dans le carré de la façon suivante :

haut à gauche vers bas à droite,
haut à droite vers bas à gauche,
bas à gauche vers haut à gauche,
bas à droite vers haut à droite.

22. A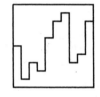

23. marche

24. harpie

25. liberté, vassalité

26. E. La lettre du haut avance de 13 lettres, celle du milieu de 6 lettres et celle du bas de 1 lettre.

27. E. Chaque cercle est obtenu en réunissant les deux cercles du dessous, mais les symboles semblables disparaissent.

28. autochtone

29. cata- : un préfixe signifiant au-dessous, les autres signifiant au-dessus.

30. SOIN :   NON (NIER)   CÉLERI
         DOS   (SOIN) DOMINO

31. kimono

32. c. Chaque forme est composée de :

1 - 2 - 3 - 4 - 5 - 6 lignes
et 6 - 5 - 4 - 3 - 2 - 1 points.

33. H. Dans chaque colonne de haut en bas, sautez 2, puis 3 lettres. Dans chaque rangée de gauche à droite, sautez 3, puis 4 lettres.

34. pour

35. C. Le nombre de surfaces augmente d'un chaque fois, en commençant par une sphère (une surface). Le cône (choix C) a deux surfaces.

36. e) 5

37. −3. Il y a deux séries :
5, 8, 12, 17 (+3, +4, +5)
6, 4, 1, −3 (−2, −3, −4)

38. d) une meute

39. B. La forme à l'intérieur se contracte des deux côtés vers la ligne verticale.

40. 1B

Découvrez
un aperçu du livre
Testez votre logique
paru dans la même collection.

Sur la tablette

Mélanie est une auteure prolifique, qui a publié trois genres d'ouvrages. Elle range un exemplaire de chacun de ses livres publiés dans une bibliothèque à trois tablettes (tel qu'illustré ci-contre), chacune d'elles contenant un genre d'ouvrages. Retrouvez, pour chaque tablette, le genre des livres qui y sont rangés et leur nombre.

1. Mélanie a rédigé trois guides touristiques (placés sur la tablette du haut) de plus que de romans à énigme.

2. Les livres de cuisine sont sur une tablette située quelque part au-dessus de celle qui contient exactement sept livres.

3. Mélanie a écrit 25 livres en tout.

haut
milieu
bas

Mieux vaut tard

Après plus de 50 ans de mariage, Hervé repense encore aux 4 anniversaires de mariage qu'il a oubliés, chacun d'eux pour une raison différente. Chacune de ces années-là, sa femme, Dorine, a reçu en retard un cadeau très impressionnant. Retrouvez, pour chaque anniversaire de mariage, la raison de l'oubli et le cadeau offert par Hervé.

1. Hervé a oublié son 3e anniversaire de mariage parce qu'il était à l'armée en Corée à ce moment-là.

2. Pour son 9e anniversaire de mariage, il a offert à Dorine un voyage aux Bermudes.

3. Pour son 18e anniversaire de mariage, Hervé a travaillé tard ou était en voyage d'affaires.

4. L'année où Hervé s'est trompé de date, il a offert à sa femme un manteau de vison.

5. L'année où il a oublié parce qu'il était en voyage d'affaires, il lui a offert un bracelet en rubis ou un voyage aux Bermudes.

6. Hervé a offert à Dorine une Cadillac neuve pour leur 18e ou leur 34e anniversaire de mariage.

anniversaire de mariage	raison	cadeau
3e		
9e		
18e		
34e		

Mal chaussés

Jacinthe répare des chaussures pour un magasin de chaussures du quartier. Actuellement, elle a quatre paires de chaussures, chacune appartenant à un client différent et ayant besoin d'une réparation différente. Retrouvez, pour chaque personne, la couleur et le type de chaussure et la réparation que Jacinthe doit faire.

1. Les sandales ont des semelles usées qui doivent être remplacées.

2. Linda a les chaussures de ville qui ne sont pas marron.

3. Didier a les chaussures bordeaux.

4. Les chaussures de Marie ont un talon brisé ou le cou-de-pied fendu.

5. Un homme a les mocassins.

6. Les chaussures qui ont le bout troué (qui ne sont pas à Roger) ne sont pas les chaussures de ville.

7. Les bottes sont brun clair.

8. Les chaussures noires n'ont pas le cou-de-pied fendu.

client	couleur	chaussures	réparation

Sur la tablette

La tablette du haut contient les guides touristiques (1). Les livres de cuisine ne sont pas sur la tablette du bas (2); donc ils sont sur la tablette du milieu. En y allant par élimination, la tablette du bas contient les romans à énigme. Il y a 7 romans à énigme (2); donc il y a 10 guides touristiques (1). On a 17 livres sur 25 (3); donc Mélanie a écrit 8 livres de cuisine.

haut	guides touristiques	dix
milieu	livres de cuisine	huit
bas	romans à énigme	sept

Mieux vaut tard

Hervé a oublié son 3e anniversaire de mariage parce qu'il était en Corée à ce moment-là (1). Pour le 9e, il a offert à Dorine un voyage aux Bermudes (2). Pour le 18e, Hervé travaillait tard ou était en voyage d'affaires (3). Quand Hervé s'est trompé de date, il a offert à Dorine un manteau de vison (4); donc c'était pour le 34e. Ainsi, il lui a offert une Cadillac neuve pour le 18e (6). En y allant par élimination, il lui a offert un bracelet en rubis pour le 3e. Quand il était en voyage d'affaires, il lui a offert un voyage aux Bermudes (5). En y allant par élimination, quand il a travaillé tard, il lui a offert une Cadillac neuve.

3^e	en Corée	bracelet en rubis
9^e	en voyage d'affaires	voyage aux Bermudes
18^e	a travaillé tard	Cadillac neuve
34^e	s'est trompé de date	manteau de vison

Mal chaussés

Les sandales ont des semelles usées (1). Linda a les chaussures de ville (2). Un homme a les mocassins (5). Les bottes sont brun clair (7). On a les quatre paires de chaussures. Les chaussures de Marie ont un talon brisé ou un cou-de-pied fendu (4); donc ce sont les bottes brun clair (voir ci-dessus). Les chaussures de ville n'ont pas le bout troué (6); donc les mocassins l'ont (voir ci-dessus). Ils ne sont pas à Roger (6); donc Roger a les sandales. En y allant par élimination, Didier a les mocassins. Ils sont bordeaux (3). Les chaussures de ville de Linda ne sont pas marron (2); donc les sandales de Roger sont marron. En y allant par élimination, les chaussures de ville de Linda sont noires. Elles n'ont pas le cou-de-pied fendu (8); donc elles ont le talon brisé. En y allant par élimination, les chaussures de Marie ont le cou-de-pied fendu.

Didier	mocassins bordeaux	bout troué
Linda	chaussures de ville noires	talon brisé
Marie	bottes brun clair	cou-de-pied fendu
Roger	sandales marron	semelles usées

BON DE COMMANDE

Qté	Titre	Prix (taxe incluse)		Total
		Canada	Europe	
	Bonhomme pendu N° 1	6,95 $	4,95 €	
	Bonhomme pendu N° 2	6,95 $	4,95 €	
	Mots croisés faciles	4,95 $	3,95 €	
	Mots cachés captivants	4,95 $	3,95 €	
	Casse-têtes énigmatiques	4,95 $	3,95 €	
	Nombres croisés captivants	4,95 $	3,95 €	
	Sommes croisées captivantes	4,95 $	3,95 €	
	Labyrinthes 101	4,95 $	3,95 €	
	Casse-têtes mathématiques	4,95 $	3,95 €	
	Énigmes de pensée latérale	4,95 $	3,95 €	
	Exercez vos neurones	4,95 $	3,95 €	
	Testez votre logique	4,95 $	3,95 €	
			Total partiel	
	Frais de livraison	3,50 $	1 livre : 5,00 € 2 livres : 7,00 € 3 livres : 9,00 € 4 livres : 11,00 € 5 livres et plus : 13,00 €	
			Prix total	

BON DE COMMANDE

Nom _____

Adresse _____ App. _____

Ville _____

Pays _____

Code postal _____

N° de téléphone _____

S.V.P. Envoyez-moi le(s) livre(s) mentionné(s) à la page précédente.

Je joins _____ $ ou _____ €

Faites parvenir votre chèque ou mandat-poste à :

Les Publications Modus Vivendi Inc.
55, rue Jean-Talon Ouest, 2e étage
Montréal (Québec) H2R 2W8
Canada

Vous pouvez également payer par carte de crédit :

☐ Visa   ☐ MasterCard ☐ Amex   Date d'expiration : |__|__|

N° de la carte |__|__|__|__| |__|__|__|__| |__|__|__|__| |__|__|__|__|

Signature _____

Nom (lettres carrées) _____

Vous pouvez aussi commander :

par téléphone : 514 272-0433
par télécopieur : 514 272-7234
par Internet : www.editionsbravo.com